Ti-Prout

Visitez sur notre site :
www.soulieresediteur.com

Du même auteur
Dans la collection Ma petite vache a mal aux pattes :

Rouge Timide, Prix M. Christie 1999, 2e position au Palmarès de Communication Jeunesse 2000, traduit en coréen

Les yeux noirs, Prix M. Christie 2000, 4e position au Palmarès de Communication Jeunesse 2002, traduit en coréen

Le petit maudit, 2000, traduit en coréen

La petite fille qui ne souriait plus, Prix Odyssée 2002, Finaliste au Prix M. Christie 2002, Sélection White Ravens, 2002, Prix Alvine-Bélise 2002

Guillaume et la nuit, 2003, Sélection de Communication Jeunesse, traduit en coréen

La bataille des mots, 4e position au Palmarès de Communication Jeunesse 2005,traduit en coréen

La chambre vide, Sélection de Communication Jeunesse, Finaliste au Prix des bibliothèques de Montréal 2006, traduit en coréen

Jolie Julie, 2006, Sélection de Communication Jeunesse, traduit en coréen

Le petit écrivain, 2007

Le Dico de Tibo, Sélection de Communication Jeunesse, Prix Hackmatack 2011

Les deux amoureux, 2014, Prix d'illustration du Salon du livre de Trois-Rivières (catégorie Petit roman illustré) 2015

Ti-Prout

ou

l'étonnante et poétique histoire
d'un enfant qui pète

un roman de Gilles Tibo
illustré par Oussama Mezher

case postale 36563 — 598, rue Victoria
Saint-Lambert (Québec) J4P 3S8

Soulières éditeur remercie le Conseil des Arts du Canada et la SODEC de l'aide accordée à son programme de publication et reconnaît l'aide financière du gouvernement du Canadapar l'entremise du Fonds du livre du Canada (FLC) pour sesactivités d'édition. Soulières éditeur bénéficie également du Programme de crédit d'impôt pour l'édition de livres – Gestion Sodec – du gouvernement du Québec.

Dépôt légal: 2015

Catalogage avant publication de Bibliothèque et Archives nationales du Québec et Bibliothèque et Archives Canada

Tibo, Gilles -
Ti-Prout
Collection Ma petite vache a mal aux pattes 136)
Pour enfants de 7 ans et plus.

ISBN 978-2-89607-338-2

I. Mezher, Oussama, 1972- . II. Titre. III. Collection : Collection Ma petite vache a mal aux pattes ; 136.

PS8589.I26T5 2015 jC843'.54 C2015-940373-1
PS9589.I26T5 2015

Illustration de la couverture et illustrations intérieures:
Oussama Mezher

Conception graphique de la couverture:
Annie Pencrec'h

Logo de la collection:
Caroline Merola

ISBN 978-2-89607-338-2

À personne, évidemment !

1

Ti-Prout

Personne ne m'appelle Jérôme. Mon père, ma mère et tous mes amis me surnomment Ti-Prout parce que je pète tout le temps.

Ce n'est pas de ma faute. J'essaie de serrer les fesses, de croiser les jambes, de coller mes genoux, de nouer mes orteils… mais ce n'est pas moi qui décide. Mes fesses, elles font prout-prout toutes seules.

Parfois, je fais de petits prouts de rien du tout. Ils sont silencieux et ne sentent presque rien : je les surnomme mes roses. Les prouts de taille moyenne, je les surnomme mes papillons, et les gros prouts qui font beaucoup de bruit s'appellent des éléphants.

L'air

Mon père et ma mère pensent que je proute-proute parce que j'avale trop d'air en mangeant.

J'essaie de ne pas en avaler, mais il y a de l'air partout dans la cuisine. J'en avale chaque fois que j'ouvre la bouche. Alors j'ouvre les lèvres le moins possible en mangeant de tout petits morceaux de nourriture. Mais ça ne fonctionne pas. Je continue à proute-prouter.

J'essaie de manger dans ma chambre, dans le salon, dans le corridor, sur le balcon arrière, mais il y a de l'air partout, partout, partout !

Je cherche un endroit où il n'y a pas d'air. Je vérifie dans les endroits les plus reculés de la maison. Je regarde dans le fond des armoires, dans le fond du sous-sol, dans le fond du grenier. Incroyable, il y a de l'air partout!

3

Le bain

Je réfléchis en proute-proutant. Soudain, j'ai une idée. Pour ne plus avaler d'air, il faudrait que je mange... sous l'eau.

J'emplis la baignoire. J'essaie de manger une pomme en gardant la tête sous l'eau. C'est difficile ! Chaque fois que j'ouvre la bouche, j'en avale un peu. Et soudain, j'en avale trop. Je m'étouffe. Je sors du bain en

crachant et en proute-proutant de grosses bulles de savon.

Finalement, ce n'est pas une bonne idée ! Je ne pourrai jamais manger des céréales, de la soupe ou de la crème glacée sous l'eau. Et comment boire du lait ou du jus d'orange dans le fond de la baignoire ?

4

Les médicaments

Ma mère arrive avec un sac rempli de médicaments. Elle me dit :

— Mon petit Prout chéri, voilà quelque chose qui va te faire du bien !

J'avale des médicaments en pilules, en poudre et en sirop. Après une heure, déjà, je ne proute-proute plus. Ni après une journée, ni après deux jours, ni

après trois jours. Ma mère et mon père sont heureux. Ils crient :

— VICTOIRE !

Mais moi, j'ai les tuyaux du ventre bloqués. Tellement bloqués que mon bedon grossit,

grossit, grossit comme un ballon rempli d'air.

— C'est curieux, dit ma mère.

— Très curieux, répète mon père.

Mon ventre grossit à vue d'oeil. Si ça continue, je vais devenir aussi gros qu'une montgolfière. J'ai tellement peur d'exploser que je refuse d'avaler ces médicaments. Mais, comme mes parents insistent, je suis obligé de crier très fort :

— NON ! JE NE VEUX PLUS DE CES MÉDICAMENTS !

Mes parents ont la tête très dure. Je suis obligé de négocier avec eux.

Les conditions

Les négociations durent longtemps, très longtemps.

Finalement, nous arrivons à une entente : je n'avale plus ces médicaments, mais je dois respecter les autres personnes autour de moi chaque fois que j'ai envie de proute-prouter. Ça veut dire que je dois quitter la table pendant les repas. Je dois m'éloigner si je suis en compagnie de quelqu'un. En automobile, je dois ouvrir la fenêtre. Au cinéma, je me place près de l'allée pour déguerpir le plus rapidement possible. Au restaurant, je dois choisir une table le plus près des toilettes. À la bibliothèque, je dois me sauver le plus rapidement possible si...

Alors, je recommence à proute-prouter en toute liberté.

Je fais des balades en vélo. Je me rends jusqu'au coin de la rue, je monte sur un gros tas de

briques, je regarde le monde, je proute-proute dans le vent et je reviens chez-moi.

Je passe aussi de longues heures, étendu sur mon lit, à proute-prouter en silence. Je ferme les yeux et j'imagine que je vis dans un immense jardin rempli de roses, de papillons et d'éléphants.

6

À l'école

Aujourd'hui, à l'école, j'essaie de retenir mes prout-prout le plus longtemps possible. Je serre les fesses et je deviens rouge comme un ballon qui va exploser. Alors, malgré moi, bien malgré moi, je fais un gros éléphant ! PROUTTTTT !

Toute la classe éclate de rire. HI ! HI ! HI ! AH ! AH ! AH !

Puis arrive l'heure de la composition française. Le professeur dit :

— J'exige le silence complet ! Aucun bruit ne sera toléré !

Toute la classe est silencieuse. Chacun et chacune écrit en fixant sa feuille. Moi, j'invente l'histoire d'un savant qui trouve un remède contre les pets et, sans même m'en apercevoir, je lâche une petite rose. En silence, tous les élèves éloignent leur pupitre du mien. Je reste seul au

fond de la classe. Même mon professeur n'ose s'approcher.

Ensuite, malgré moi, je fais un joli papillon. En silence, on se bouche le nez avec des boulettes de papier.

Un peu plus tard, sans le vouloir, je fais trois éléphants. PROUT ! PROUT ! PROUT ! Mon professeur ouvre les fenêtres et moi, je me retrouve chez le directeur.

7

Le directeur

Le directeur me dit :

— Alors, Jérôme, on fait le rigolo ?

— Monsieur le directeur, je n'ai pas fait exprès !

Puis je baisse les yeux. Je sens des glou glou dans mon ventre. Je me dis :

— Oh non ! Oh non...

Je serre les fesses pour ne pas... pour ne pas... mais la pression est trop forte. Je deviens rouge et, sans le vouloir, je fais une petite rose.

Le directeur lève les narines, fronce les sourcils, dit POUACH ! et se précipite vers la fenêtre pour respirer de l'air frais.

La secrétaire arrive dans le bureau. Elle lève les narines, et se précipite, elle aussi, vers la fenêtre.

La mine basse, je murmure :

— Excusez-moi... Oups, une rose… Excusez-moi... Oups, un papillon… Excusez-moi... Oups, un éléphant…

8

Découragé de moi

Je suis découragé de moi. Je proute-proute de plus en plus souvent. Pour être honnête, je proute-proute tout le temps. Ça ressemble à des coups de mitraillettes. Prout ! Prout ! Prout ! Prout ! Prout ! Prout ! Prout ! Prout !

Lorsque je marche, je fais un prout à chaque pas. À la piscine, je fais de grosses bulles dans l'eau. La nuit, mes éléphants me réveillent. Ma chambre en est pleine. J’ouvre la fenêtre pour que le vent les emporte.

9

Seul au monde

Maintenant, j'ai une très mauvaise réputation dans le quartier. On me regarde en riant, en se bouchant le nez ou en se sauvant. Lorsque j'entre dans l'ascenseur pour visiter ma grand-mère, personne ne veut m'accompagner, on préfère l'escalier. Chaque fois que je sors de l'ascenseur, personne ne veut y entrer. J'y ai laissé trop de roses, de papillons et d'éléphants.

À l'école, au parc, dans la ruelle, plus personne ne veut jouer avec moi. J'ai perdu tous mes amis. Seul Mathieu accepte de me parler... mais au téléphone seulement.

Alors, je m'amuse avec les chats, les chiens et les oiseaux

du quartier. Ensemble, nous formons un orchestre qui s'appelle : *L'orchestre Des Bruits Perdus*. Pendant que mes amis miaulent, jappent et sifflent, moi, je fais de gros prout-prout.

10

Les parfums

J'en ai assez ! Ce matin, je décide de changer de vie. Je m'enferme dans la salle de bain. J'ouvre toutes les bouteilles de parfum de ma mère. Je m'asperge le cou, les bras, le torse, les jambes. Je vide un gros flacon dans mes cheveux. Hum… Je sens le muguet et les marguerites !

Je cours jusqu'à l'école. Je sens tellement le parfum, que j'ai de la difficulté à respirer. Lorsque je pénètre dans la cour, tous les élèves se sauvent en hurlant. Ensuite, la classe se vide, et le directeur, en se bouchant le nez, m'ordonne de rester dehors sur le palier. Je n'en peux plus ! Ma mère vient me chercher en se bouchant le nez. Je m'excuse et je lui promets de ne plus jamais me parfumer… avec ses parfums.

11

Les cauchemars

Le soir même, je prends deux bains et trois douches pour faire disparaître l'odeur des parfums. Mes parents viennent me border, mais ils ne restent pas longtemps dans ma chambre, à cause des roses, des papillons et des éléphants.

Je m'endors et je fais des cauchemars. Je rêve que je proute plus fort que le vent. Les arbres se déracinent. Les toits des mai-

sons s’envolent. Je proutttte tellement fort que tout le monde porte des masques à oxygène, même les chats, les chiens et les oiseaux.

Je prouttttte tellement, que tous les habitants de tous les pays se sauvent de l’autre côté de la Terre.

Je prouttttttttttttte tellement fort que tous les terriens grimpent dans des fusées et se sauvent sur les autres planètes.

À la fin de mon cauchemar, je reste tout seul sur la Terre, et je pleure... en proute-proutant.

12

Le remède bleu

Un jour, mon père dit :

— Bon ! Jérôme ! Ça suffit !

Je visite le médecin d'une urgence et ensuite, le spécialiste d'un immense hôpital. Je suis un cas rare, très rare. On analyse mon sang. On regarde dans mon ventre avec toutes sortes d'appareils. On m'ausculte de tous bords tous côtés. Puis un spécialiste du ventre donne un bout de papier à mon père, un papier qui s'appelle une prescription.

Mon père se précipite à la pharmacie pendant que je retourne à la maison avec ma mère. Au bout de trois minutes, mon père revient en courant avec une bouteille remplie de liquide bleu. En se bouchant le nez, il me dit :

— Bon, bedit Brout, boici le remèbe biracle qui va rébler tes broblèmes !

Pendant le petit-déjeuner, j'avale trois gorgées du remède bleu. Il fait glou glou dans mon ventre... Après quelques heures, je constate que je ne fais plus d'éléphants.

Pendant le dîner, j'avale encore trois gorgées du remède bleu. Durant l'après-midi, je ne fais ni éléphants, ni papillons.

Pendant le souper, j'avale encore trois gorgées de remède bleu. Je ne fais ni éléphant, ni papillon, ni jolie rose. Je ne proute-proute plus. Mon ventre ne devient pas gonflé comme un ballon. Je me couche. Je suis guéri !

13

La vie en bleu

Le lendemain, je me réveille et, tout heureux de ne pas prouteprouter, je marche jusqu'à la salle de bain. En me voyant dans le miroir, je crie :

— AU SECOURS ! AU SECOURS !

Je suis devenu tout bleu de la pointe des orteils jusqu'au bout des cheveux !

Mes parents accourent et s'exclament :

— Mais voyons donc ! Mais voyons donc !

Je me retrouve, encore une fois, à l'hôpital. Les médecins m'examinent encore et encore. Je suis un cas rare, très rare !

Le grand médecin spécialiste dit en levant l'index :

— Il faut cesser le médicament bleu et attendre un peu…

Je cesse d'avaler le médicament bleu. Je change lentement de couleur. Le bleu s'efface et je recommence à prouter-prouter à vive allure. Mes parents sont découragés, le directeur de l'école est découragé, mes camarades de classe sont découragés, et moi aussi, je suis complètement découragé. Prout ! Prout !

14

La petite

Les se

proute

dar

la

bai

conna

gissant.

gros éléph

— Bonjour,

Je m'appelle Ém

velle dans le quart

Je lui réponds :

— Bonjour ! PROUT ! PROUT ! Moi, je m'appelle Jérôme. Veux-tu jouer avec moi ?

Émilie me sourit et me tend la main. Nous marchons ensemble jusqu'au fond de la cour. Nous ne disons rien. Nous sourions en regardant les oiseaux... Je suis heureux ! Tellement heureux que je me rends compte d'une chose : je ne proute-proute plus !

Même chose pour Émilie !

C'est comme un miracle...

Et puis soudain, PROUT ! PROUT !

— Est-ce que c'est toi, Émilie ?

— Est-ce que c'est toi, Jérôme ?

— Heu, je crois que c'est nous deux, ensemble ! Allez ! Un dernier petit Prout, et on n'en parle plus !

Fin

Gilles Tibo

Quand j'étais jeune, il m'arrivait très souvent de proute-prouter à l'école, au parc ou en écoutant la télé. Alors, tout comme le héros de ce livre, je devais me retirer à l'écart et attendre… attendre le retour au calme. Pour meubler ma solitude, j'ai commencé à dessiner, partout, sur des feuilles, des toiles... Je dessinais à cœur de jour et à cœur de nuit et je suis finalement devenu un illustrateur.

Ensuite, je suis tombé en amour avec l'écriture et, au fil du temps, je suis devenu un écrivain !

Alors, quelquefois, entre deux séances d'écriture, je me demande ce que serait devenue ma vie, si étant jeune, je n'avais autant proute-prouter ?

Qui sait ? Je serais peut-être devenu astronaute, éditeur, funambule. Mais au bout du compte, je suis très heureux d'être devenu écrivain. Un gros merci à tous mes prouts prouts !

Oussama Mezher

Quand j'ai reçu le texte de ce livre, je me suis dit : enfin un roman jeunesse dont l'histoire n'est pas que du vent !

Enfin, une vraie problématique sérieuse, abordée de manière légère et sans drame, pour aller de l'avant et oser parler à son pharmacien !

J'ai tout de même été surprise par la fin. En effet, les filles, toutes les filles de mon entourage, nous ne connaissons pas ce genre de problème (ah !). Nous sommes discrètes et bien élevées et en parfait contrôle de notre corps et des bruits qu'il peut émettre à l'occasion !

Ce livre a été imprimé sur du papier Sylva enviro
100 % recyclé, traité sans chlore, accrédité Éco-Logo
et fait à partir d'énergie biogaz.

Achevé d'imprimer
à Montmagny (Québec)
sur les presses de Marquis Imprimeur
en juillet 2015